Conteo

Tu cuerpo

Kristy Stark, M.A.Ed.

Créditos de publicación

Rachelle Cracchiolo, M.S.Ed., *Editora comercial*
Conni Medina, M.A.Ed., *Gerente editorial*
Nika Fabienke, Ed.D., *Realizadora de la serie*
June Kikuchi, *Directora de contenido*
Caroline Gasca, M.S.Ed., *Editora superior*
Sam Morales, M.A., *Editor asociado*
John Leach, *Editor asistente*
Kevin Pham, *Diseñador gráfico*
Jill Malcolm, *Diseñadora gráfica básica*

Créditos de imágenes: Todas las imágenes de iStock y/o Shutterstock.

Library of Congress Cataloging-in-Publication Data

Names: Stark, Kristy, author.
Title: Conteo : tu cuerpo / Kristy Stark.
Other titles: Counting. Your body. Spanish | Tu cuerpo
Description: Huntington Beach : Teacher Created Materials, [2019] | Audience: 60L (provided by Lexile.) |
Identifiers: LCCN 2018009321 (print) | LCCN 2018012098 (ebook) | ISBN 9781425826178 (ebook) | ISBN 9781425826826 (paperback)
Subjects: LCSH: Animals--Juvenile literature. | Anatomy--Juvenile literature. | Veterinary anatomy--Juvenile literature. | Counting--Juvenile literature.
Classification: LCC QL49 (ebook) | LCC QL49 .S675418 2019 (print) | DDC 595.4/6--dc23
LC record available at https://lccn.loc.gov/2018009321

Teacher Created Materials
5301 Oceanus Drive
Huntington Beach, CA 92649-1030
tcmpub.com

ISBN 978-1-4258-2682-6

Cuenta las partes del cuerpo.

Tengo una nariz.

¿Y tú?

Tengo una lengua.

¿Y tú?

Tengo dos orejas.

¿Y tú?

Tengo diez dedos.

¿Y tú?

Tengo un cuerpo entero.